Frank Brunner

Frank Brunner

Abaton

ABATON (from the Greek *a*, not; *baino*, I go), a town of changing location. Though not inaccessibe, no one has ever reached it and visitors headed for Abaton have been known to wander for many years without even catching a glimpse of the town. Certain travellers, however, have seen it rising slightly above the horizon, especially at dusk. While to some the sight has caused great rejoicing, others have been moved to terrible sorrow without any certain cause.

(Sir Thomas Bulfinch, *My Heart's in the Highland*, Edinburgh, 1892)

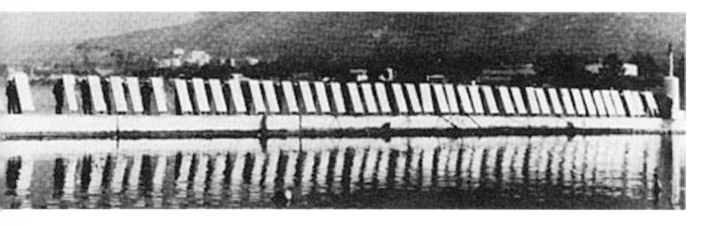

By Aimee Walleston

WORLD WITHOUT END: THE ART OF FRANK BRUNNER

What, if some day or night a demon were to steal after you into your loneliest loneliness and say to you: "This life as you now live it and have lived it, you will have to live once more and innumerable times more; and there will be nothing new in it, but every pain and every joy and every thought and sigh and everything unutterably small or great in your life will have to return to you, all in the same succession and sequence—even this spider and this moonlight between the trees, and even this moment and I myself. The eternal hourglass of existence is turned upside down again and again, and you with it, speck of dust!"

Friedrich Nietzsche, on the concept of eternal return

The allegorical themes of Frank Brunner's paintings illustrate, mirror and reconsider the Nietzschean concept of eternal return. By depicting, time and again, historical narratives that are equally universal and personal, and by creating bodies of work that continually allude to one another, Brunner's large-scale oil-on-canvas works act as the metaphysical retelling of an epic yet to be written.

If nothing happens twice, than nothing matters more than once. In The Unbearable Lightness of Being, Milan Kundera rescues the concept eternal return from Nietzsche's weighty gravity by positioning that the opposite form of existence would be a life of unbearable lightness. If one lived bereft of recurrence, one would be doomed to an existence devoid of the all the profundities endemic to moments of repetition. Bees, which figure prominently in Brunner's latest series of paintings, *Abaton*, are blessed with the eternal return as internal monologue. The lives of bees can be dismissed as those condemned to repetitious servitude, Maoist prisoners devoid of individualistic pleasure. And yet one finds, in their regimented devotion to nectar gathering and hive building, the absolute continuation of freedom. In its most exalted form, the eternal return of bees, and of humans, transcends a reenactment of the same. Recurrence instead becomes tied to the ritual of life itself, a noble form of action governed not by selfish seeking, but by an unbreakable connection to re-examination. There is beauty in repetition.

Honeybees have figured prominently in the life of Norwegian-born Brunner since he was a child. Brunner's father is a hobbyist beekeeper in his native Norway, and has a quixotic and intensely empathetic relationship to the purpose of his bees—he feels such guilt at taking their honey that he must always leave some of it behind for them. In *Abaton*, Brunner has created a group of paintings, Hives, whose fictive narratives make the distinction between honeybees and humans almost inconsequential. The hooded bee-keepers one finds within the works are both obscured and brought more into focus in a romantically ominous haze of mist and bees. These figures seem as much automaton cogs as the drones they seek to gather unseen honey from. The Abaton-like hives go through a series of transformations in the paintings, drifting off into the horizon line like New York's endless skyline, and the bees, like humans, must temper their forays into the world with the eternal seeking of refuge and home. The pastel tones Brunner has used for the beehives aren't nods to artifice—honeybees have the ability to discern color, and many beekeepers utilize the functionality of multi-hued beehives to allow their bees to more quickly orient themselves to their color-identified hives. Though this and other forms of human intervention may at times have helped the duty of bees, the impending tragedy of Colony Collapse Disorder tells us this is not always true. The story that threads these series of paintings becomes one of finality and destruction in *Desconstruction I* and *II*, which depicts overturned and demolished hives, and a presumed holocaust of bees.

As the precursor to these pieces, an older series of paintings by Brunner, entitled *Plagues*, featured iterations of insects and animals whose decorative prettiness belied their biblical

Six Dead Bees, 2009
drawing—oil on mylar
26 x 28 cm

malice. Similarly, the swarms of bees that menace the picture plane of the Hives paintings point to an absorbing repetition that has defined much of Brunner's past and present work. In Brunner's paintings, thematic gestures have a way of signaling the cosmic ambition of eternal return. Touchstone elements reference past works and series, and there is a feeling of world without end that pervades all the paintings when taken together. There is also a certain heaviness of obsessive thought that lives within the paintings, but this weight willfully lightens when confronted time and again by a return to the enchantment of childhood. Stacks of suitcases crop up often and hint at the need for escape, though always with the comforts of home well in hand. Birch forests signal once again to the artist's childhood landscape, and the trees underscore a fidelity to the natural world that is tacitly evident in Brunner's eye and hand. In "Abaton," there is also a nascent intrigue with fire as it reacts to both natural and humanistic constructions.

The perspective and depiction of reflection has also been a continued element in Brunner's paintings—his previous series, *45°*, acted as a meditation on the human form as seen reflected from pools of water. One finds a return to this theme in another group of paintings within the *Abaton* series, *Mirrors*. In these works, Brunner connects his metaphysical forays into undiscovered worlds with an interest in the exacting empiricism of human technology. The content of the Mirrors paintings is based upon the "Death Ray"

45° Subway #2
2006
oil on canvas
150 x 175 cm

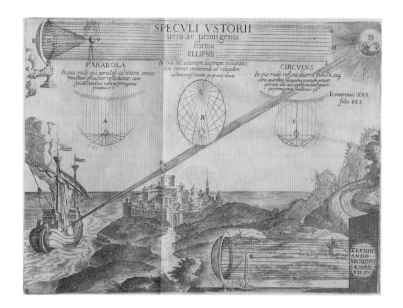

Illustration by
Father Athanasius Kircher
(1601–1680)

experiment originally performed by Archimedes in 2nd century BC. As a forerunner to a weapon of mass destruction, the "Death Ray" was created by Archimedes, who sought to use the power of reflected sunlight to set fire to a fleet of enemy ships. By using one large mirror, many small mirrors, or the polished shields of Roman troops (accounts differ), Archimedes and his fellow Greeks reportedly focused a ray of concentrated sunlight onto the prow of an enemy ship, which shortly thereafter burst into an inferno.

There have been many disbelievers to the ship-sinking success of Archimedes' endeavor—and of the veracity of the "Death Ray" theory itself (mathematician René Descartes was an avid denouncer). The experiment has been re-enacted repeatedly by scholars intent on proving its feasibility or impossibility. In 1973, the Greek engineer Ioannis Sakkas used seventy men holding bronze-coated mirrors to re-stage the experiment. Within minutes, the target of Sakkas' intentions was in flames, proving, perhaps, the legitimacy of Archimedes' legacy. Brunner has used many of the archival images from the Sakkas experiment—artifacts of genuine aesthetic fascination in their own right—as reference materials for the Mirrors paintings. With Western society's utter reliance on forward momentum technology, we will perhaps never know the true efficacy of setting ships ablaze using reflected sunlight, though the peaceful reinterpretations of Archimedes' objective are not without the charm of both serendipity and ambition.

Experiments can reveal the truth, though some truths exist only on their own terms. What one feels one knows, in Brunner's paintings, drifts forward and backward, forever returning, like bees to different flowers in the same field. The narratives within the works present a vision of nature and humanity that lives in troubled harmony, yet always gleams with a sense of duty and optimism. Filled with his work and thoughts, Brunner's studio, which juts out into the East River from a quiet pier in Red Hook, Brooklyn, is something of its own Abaton. Caught between the city and the sea, the world created within it is the physical space of psychic return—though the true destination, the work itself, remains forever its own quietly unreachable universe.

And I dream of a different soul
Dressed in other clothes:
Burning as it runs
From timidity to hope,
Spiritous and shadowless
Like fire it travels the earth,
Leaves lilac behind on the table
To be remembered by.

From "Eurydice," by Andrey Tarkovsky

1. DEAD BEE

One Dead Bee, 2009
drawing—oil on mylar
19 x 28 cm

ABATON du grec « *a* », privatif et « *baino* », je vais) : une ville dont le lieu change. Sans être inaccessible, personne n'y parvenait jamais et les visiteurs à destination d'Abaton étaient réputés errer pendant des années sans jamais même l'apercevoir. Certains voyageurs l'ont cependant vue s'élever légèrement au-dessus de l'horizon, en particulier entre chien et loup. Si ce spectacle était source d'une immense joie pour certains, d'autres en étaient, sans motif apparent, plongés dans un immense chagrin.

(Sir Thomas Bulfinch, *My Heart's in the Highland*, Edinburgh, 1892)

Untitled, 2009
drawing—oil on mylar
14 x 17 cm

Par Aimée Walleston

UN MONDE SANS FIN : L'ART DE FRANK BRUNNER

Et si, un jour ou une nuit, un démon s'insinuait dans la plus solitaire de vos solitudes pour vous susurrer : « cette vie, telle que tu la vis et l'a vécue, tu devras la vivre une fois encore, et par la suite une infinité de fois ; et elle ne contiendra rien de neuf, mais chacune des peines et des joies, chaque pensée, chaque image et chacune des choses, petite ou grande, devra te revenir, toujours dans la même succession et le même ordre… même cette araignée et ce clair de lune entre les arbres, et même ce moment et moi. L'éternel sablier de l'existence est retourné, encore et encore, et toi avec, poussière ! »

Friedrich Nietzsche, sur l'idée de l'éternel retour

Les thèmes allégoriques des tableaux de Frank Brunner illustrent, reflètent et repensent le concept nietzschéen de l'éternel retour. En dépeignant, encore et encore, des récits historiques aussi universels que personnels, et en créant une œuvre dont les éléments renvoient constamment l'un à l'autre, les huiles sur toile grand format de Brunner opèrent comme le nouveau récit d'une épopée qui reste à écrire.

Si rien n'advient deux fois, rien ne compte plus d'une. Dans l'*Insoutenable légèreté de l'être*, Milan Kundera sauve de la gravité pesante le concept nietzschéen de l'éternel retour en postulant que la forme d'existence opposée serait une vie d'une insoutenable légèreté. Un être qui vivrait une vie privée de récurrence serait voué à une existence dépourvue de toutes les profondeurs inhérentes aux moments de répétition. Les abeilles, très présentes dans la dernière série de tableaux de Brunner, « abaton », ont reçu la bénédiction de l'éternel retour comme monologue intérieur. Les abeilles, de par leur vie, peuvent être ravalées au rang des condamnés à une servitude répétitive, des prisonniers maoïstes sans plaisir individuel. Et pourtant, l'on découvre, dans leur dévotion embrigadée à la récolte du nectar et à l'édification de la ruche, l'absolue continuation de la liberté. Dans sa forme la plus exaltée, l'éternel retour des abeilles, comme des humains, transcende la répétition du même. La récurrence devient, au contraire, liée au rituel de la vie elle-même, une forme d'action noble, régie non par une quête individuelle, mais par un lien impossible à rompre avec le réexamen. Il y a de la beauté dans la répétition.

Depuis sa plus tendre enfance, les abeilles ont joué un rôle important dans la vie de Brunner, qui est né en Norvège. Le père de Brunner, apiculteur amateur dans sa Norvège natale, entretient avec ses abeilles une relation donquichottesque empreinte d'une intense empathie : il ressent, en récoltant leur miel, une culpabilité telle qu'il ne peut s'empêcher d'en laisser une partie à leur intention. Dans *Abaton*, Brunner a créé un ensemble de tableaux, *Hives*, dont les narrations fictives rendent pratiquement négligeable la distinction entre abeilles et humains. Les apiculteurs encapuchonnés que l'on voit travailler sont à la fois masqués et mis en évidence dans un nuage romantiquement menaçant de brume et d'abeilles. Ces personnages ressemblent tout autant aux rouages d'automates que les drones à la vue desquels ils tentent de se soustraire tout en tentant d'en récolter le miel. Au gré des tableaux, semblables à Abaton, les ruches subissent une série de transformations, mutant en une ligne d'horizon semblable à la silhouette interminable de New York, tandis que les abeilles, comme les humains, doivent ponctuer leurs incursions dans le monde de la quête éternelle d'un refuge et d'un foyer. Les tons pastels employés par Brunner pour les ruches

The Pool #2, 2007
oil on canvas
150 x 200 cm

n'ont rien d'artificiel. Les abeilles peuvent distinguer les couleurs, et nombre d'apiculteurs ont recours à la fonctionnalité de ruches multicolores pour aider leurs abeilles à s'orienter plus vite vers leurs ruches identifiées par leur couleur. Cette forme d'intervention humaine, comme d'autres, a pu parfois aider les abeilles dans leur labeur. Mais la tragédie imminente du Syndrome d'effondrement des colonies d'abeilles nous apprend pourtant que ce n'est pas toujours vrai. *Dans Abeilles détruites I* et *II* ? (qui représente des ruches renversées et démolies, et un holocauste d'abeilles supposé), l'histoire, qui constitue le fil conducteur de cette série de tableaux, devient affaire de finalité et destruction.

Précurseur de ces œuvres, une série de tableaux plus ancienne, signée Brunner et intitulée *Plaies*, représentait des insectes et des animaux, dont la joliesse décorative dissimulait la méchanceté biblique. De la même manière, les essaims d'abeilles qui menacent le plan pictorial des tableaux de la série des Abeilles signalent une répétition absorbante, qui a défini une grande partie de l'œuvre passée et présente de Brunner. Dans les tableaux de Brunner, des gestes thématiques constituent une manière de signaler l'ambition cosmique de l'éternel retour. Comme autant de pierres de touche, des éléments renvoient à des œuvres et des séries antérieures, et l'impression d'un monde sans fin se dégage de tous les tableaux considérés ensemble. Il y a également une certaine lourdeur de la pensée obsessionnelle qui vit dans les tableaux, mais ce poids s'allège volontairement par la confrontation au temps, puis à nouveau par un retour à l'enchantement de l'enfance. Des piles de valises apparaissent fréquemment, comme autant de signes du besoin d'évasion, mais toujours avec les conforts d'une demeure bien tenue. Des forêts de bouleaux évoquent encore une fois le paysage d'enfance de l'artiste, et les arbres soulignent une fidélité au monde

The Hive, 2008
oil on canvas
40 x 51 cm

13

naturel tacitement évidente dans l'œil et la main de Brunner. Dans *Abaton*, une intrigue avec le feu couve également sous la cendre, et réagit aux constructions, tant naturelles qu'humanistes.

La perspective et la peinture des reflets est également perpétuellement présente dans l'œuvre de Brunner ; sa précédente série, *45°*, constituant une méditation sur la forme humaine telle qu'elle se reflète dans l'eau des bassins. Ce thème ressurgit dans un autre groupe de tableaux de la série *Abaton, Miroirs*. Dans ces tableaux, Brunner relie ces incursions dans la métaphysique à des mondes non découverts, en manifestant un intérêt pour l'empirisme astreignant de la technologie humaine. Le contenu des tableaux de la série *Miroirs* repose sur l'expérience « rayon calorifique », réalisée initialement par Archimède, au 2ème siècle avant notre ère. Précurseur de l'arme de destruction massive, le « rayon calorifique » fut l'œuvre d'Archimède, qui a utilisé le pouvoir de la lumière solaire reflétée pour incendier une flotte de navires ennemis. En utilisant un grand miroir, de nombreux petits miroirs ou les boucliers polis des soldats romains (les récits diffèrent sur ce point), Archimède et ses compatriotes grecs auraient ciblé, avec un rayon de lumière solaire concentrée, la proue d'un navire ennemi qui, peut après, se serait embrasé.

Nombreux furent ceux qui considérèrent avec incrédulité le succès de l'entreprise militaro-maritime d'Archimède, de même que la véracité de la théorie du « rayon calorifique » elle-même (dont le mathématicien René Descartes était un contempteur fervent). L'expérience a récemment été reproduite par des chercheurs dans le but d'en prouver la faisabilité ou l'impossibilité. En 1973, l'ingénieur grec Ioannis Sakkas a fait appel à soixante-dix hommes portant des miroirs revêtus de bronze afin de rééditer l'expérience. En quelques minutes, la cible de Sakkas était en flammes, prouvant ainsi, peut-être, la légitimité de l'héritage d'Archimède. Brunner a utilisé de nombreuses images d'archives de l'expérience de Sakkas, autant d'artefacts exerçant, en eux-mêmes, une réelle fascination esthétique, comme matériel de référence pour ses tableaux de la série *Miroirs*. La confiance absolue placée par la société occidentale en un élan technologique permanent nous interdira peut-être toujours d'apprécier la réelle efficacité de la lumière solaire pour incendier une flotte de navires, encore que les réinterprétations pacifiques de l'objectif d'Archimède ne sont pas dépourvues du charme propre aux découvertes dictées par le hasard et l'ambition.

Une expérience peut révéler la vérité, encore que certaines vérités n'existent qu'à leurs propres conditions. Ce que l'on a l'impression de connaître, dans les tableaux de Brunner, fluctue d'avant en arrière et vice-versa, revenant sans cesse, comme des abeilles à des fleurs différentes du même pré. Les récits contenus dans les œuvres présentent une vision de la nature et de l'humanité vivant dans une harmonie troublée, mais rayonnent toujours d'un sens du devoir et de l'optimisme. Empli de ses œuvres et de ses pensées, le studio de Brunner domine l'East River, au bout d'une jetée tranquille à Red Hook, Brooklyn, a quelque chose de sa propre Abaton. Pris entre la ville et l'océan, le monde créé dans celui-ci est celui de l'espace physique du retour psychique, bien que la véritable destination, le monde lui-même, demeure à jamais son propre univers, paisiblement inatteignable.

Et je rêve d'une âme différente,
vêtue d'autres habits :
brûlant, comme elle va,
de la timidité à l'espoir,
spiritueuse et sans ombre.
Comme un feu, elle parcourt la terre,
laisse le lilas derrière elle, sur la table,
pour que l'on s'en souvienne.

Extrait d'« Eurydice », Andrey Tarkovsky

Red Hook
Brooklyn

The Grand Mirrors
2008
oil on canvas
200 x 297 cm
detail, facing page
pages 22–23

Archimedes, 2008
oil on canvas
200 x 142 cm

The House I, 2008
oil on canvas
200 x 297 cm
pages 26–27

The Experiment I
2007–08
oil on canvas
160 x 234 cm

Untitled, 2008
drawing—oil on mylar
88 x 65 cm

The Mirrors of the Myths
2008
oil on canvas
125 x 92 cm

Ecko I, 2008
oil on canvas
200 x 213 cm

32

The Mirrors II
2007–08
oil on canvas
200 x 213 cm

The Experiment II
2007–08
oil on canvas
132 x 272 cm

The House II
2007–08
oil on canvas
233 x 160 cm

The Mirrors III, 2008
oil on canvas
142 x 200 cm

Burning Flower, 2008
oil on canvas
31 x 43 cm x 2

Mirror Image, 2008–09
oil on canvas
142 x 200 cm

Solar I, 2007–08
oil on canvas
124 x 91 cm

Solar IIa, 2008
oil on canvas
91 x 61 cm

Solar IIb, 2008
oil on canvas
124 x 91 cm

The Winter Journey
2008
oil on canvas
detail

The Winter Journey
2008
oil on canvas
142 x 200 cm

MADE OF HONEY AND PAINT

BY AIMEE WALLESTON

To understand a painter is to feel, at times, that they are more paint than person. The redolence clings, as does the slipperiness, and everything touched is left with painted fingertips—evidence of an indivisible character. The smell, sight and feel of paint commingle to become the one thought of oil and pigment. Honey, that sacred humectant form, exists always, even entombed, as its sugary self. Never drying completely, only crystallizing into more of what is. Though these substances address different senses, their ineffability results in synesthesia— honey is flowing everywhere, over eyelids, the scent of flowers and metamorphoses. Let them eat paint, the only cheap thing rich enough to mutate dumb surfaces into areas of pure thought. Alone it is just stuff, forever waiting to be given life.

Drenched in paint, dripping in honey—these are the messes we make, the substances of sensuous lives that, in the theatre of reality, can only play themselves.

Father, 2008
drawing—oil on mylar
38 x 33 cm

13 DEAD BEES IN SNOW

DEAD BEE

Thirteen Dead Bees
2008
drawing—oil on mylar
33 x 33 cm

One Dead Bee, 2008
drawing—oil on mylar
14 x 8.5 cm

The Colony, 2008
oil on canvas
200 x 297 cm
pages 54–55

Blue Colony, 2008
oil on canvas
142 x 200 cm

The Beekeeper, 2008
oil on canvas
200 x 177 cm

The Hive, 2008
oil on canvas
200 x 254 cm

The Tree, 2008
oil on canvas
122 x 79 cm

The Large Tree, 2008
oil on canvas
200 x 142 cm

One Hive II, 2008
oil on canvas
40 x 51 cm

Deconstruction I, 2008
oil on canvas
200 x 254 cm

Ecko II, 2008
oil on canvas
146 x 200 cm

From Honey to Ashes
2008–09
oil on canvas
142 x 200 cm

Deconstruction II
2008–09
oil on canvas
200 x 213 cm

The Beekeeper II
2008
oil on canvas
106 x 66 cm

Untitled, 2008
drawing—oil on mylar
34 x 34 cm

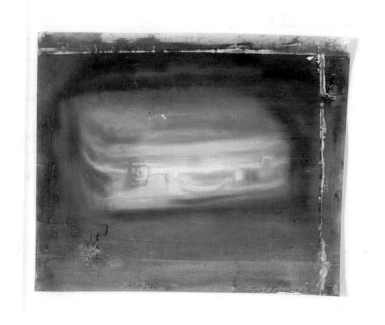

Untitled, 2008
drawing—oil on mylar
18 x 14.5 cm

The Collector, 2008
oil on canvas
200 x 142 cm

Untitled, 2008
drawing—oil on mylar
65 x 35 cm

Untitled, 2008
drawing—oil on mylar
41 x 20 cm

Untitled, 2008
oil on canvas
142 x 107 cm

Abaton, 2008
oil on canvas
198 x 142 cm

The Walk, 2008
oil on canvas
200 x 142 cm

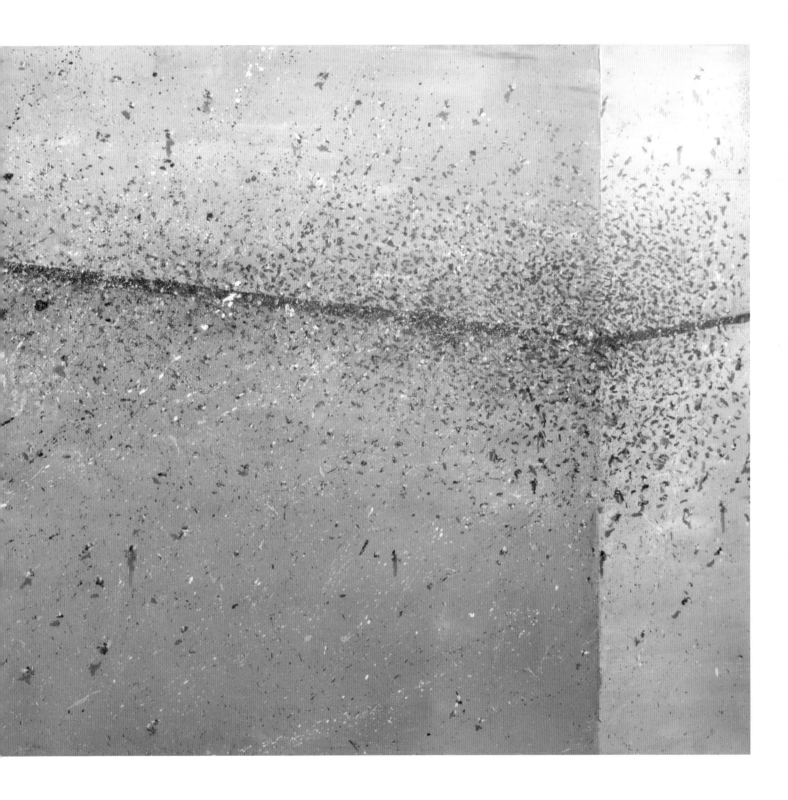

One Hive I, 2008–09
oil on canvas
106 x 200 cm

The Beekeepers
2008–09
oil on canvas
200 x 213 cm

Pollinators, 2008–09
oil on canvas
170 x 234 cm

Untitled, 2009
oil on marble
22 x 33 cm

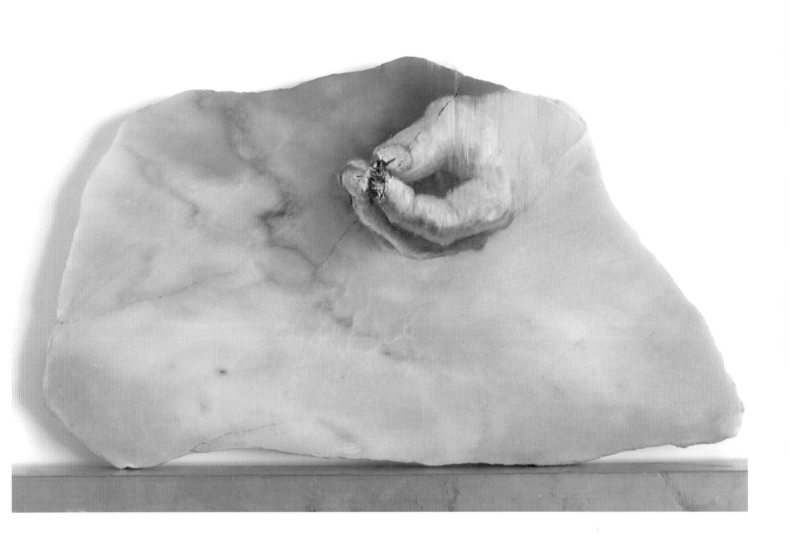

*It was a time when
silly bees could speak*
2009
oil on marble
24 x 43 cm

Sole Morte, 2009
drawing—oil on mylar
70 x 100 cm

Published on the occasion of the exhibitions:

Frank Brunner
Abaton

Galleri Haaken, Oslo
March 18–April 19, 2009

Galerie Nordin Zidoun, Paris
March 7–April 20, 2009

Published by:
Galleri Haaken
Lille Frogner Allé 6
N-0263 Oslo
Norway
Tel +47 22 55 91 97
www.gallerihaaken.com

In collaboration with:
Galerie Nordine Zidoun, Paris
41, rue de Turenne
FR-75003 Paris, France
Tel +33 1 42 71 43 53
www.galeriezidoun.com

Design by: Holtermann Design LLC and Frank Brunner

Essay by: Aimee Walleston
Translated to French by: The Royal Norwegian Embassy, Paris; Oliver Boisset

Photography by: Edward Gorn, Frank Brunner, Thomas Widerberg

Printed by: Kampengrafisk, Oslo, Norway

1st printing, edition of 1,000

Thanks to: Fredrik Nergaard, Nordine Zidoun, Michael Holtermann,
William Anskins, Aimee Walleston, and most of all to Tone

Copyright: 2009© Frank Brunner and Aimee Walleston

ISBN 978-82-996544-1-8

Self-portrait, 2009
oil on canvas
91 x 124 cm